3. Sous les cahiers, la plage

Scénario et dessin
Thierry Coppée

Couleurs
Lorien

DELCOURT

Merci à Valérie sans qui ces pages n'auraient pu voir le jour.
Merci à Théo et à Julien pour leurs avis d'expert.
Et enfin merci à ceux qui par leur travail et leur sérieux
ont permis à ces blagues de vous faire sourire...

À Jean-Philippe, Fabienne et Thomas.

Lettrage : Ségolenne Ferté
Conception graphique : Trait pour Trait

Loi n° 49-956 du 16 juillet 1949
sur les publications destinées à la jeunesse

Achevé d'imprimer en août 2008
sur les presses de l'imprimerie Pollina, à Luçon - n° L21664

www.editions-delcourt.fr

Le mauvais sujet

3 SEPTEMBRE.

au menu
- lecture
- calcul
- souvenirs de vacances
- rédaction

AVANT DE COMMENCER NOTRE TRAVAIL, EST-CE QUE L'UN D'ENTRE VOUS DÉSIRE NOUS PARLER DE SES VACANCES ?

QUI COMMENCE ? OLIVE ?

JE SUIS PARTIE EN BRETAGNE CHEZ MA GRAND-MÈRE, MADAME. J'AI TROUVÉ PLEIN DE CRABES DANS LES ROCHERS !

CE DEVAIT ÊTRE CHOUETTE !

ET TOI, YASSINE, TU VEUX NOUS RACONTER QUELQUE CHOSE ?

MOI, MADAME, J'AI ÉTÉ AU MAROC CHEZ MES COUSINS ! PUIS JE SUIS RENTRÉ CHEZ MOI ET J'AI JOUÉ AU PARC !

C'EST VRAI QU'ON PEUT ÉGALEMENT PASSER DE BONNES VACANCES À LA MAISON !

ET TOI, IGOR, TU ES PARTI ?

MA FAMILLE ET MOI SOMMES PARTIS VISITER DES GROTTES EN DORDOGNE ! NOUS AVONS PU Y ADMIRER LES PEINTURES RUPESTRES DE L'ÈRE PALÉOLITHIQUE.

C'EST TRÈS BIEN, IGOR ! ET TOI, TOTO, QU'AS-TU FAIT PENDANT CES VACANCES ?

OH, MOI, PAS GRAND-CHOSE ! ENFIN, PAS DE QUOI FAIRE UNE RÉDACTION, MADAME !

Chute échelonnée

Air à taper

BON, TOTO, MAMIE N'A PAS ASSEZ D'ARGENT SUR ELLE POUR TE PAYER LE BUS ! SI ON TE DEMANDE TON ÂGE, TU DOIS DIRE QUE TU AS 7 ANS !

MAIS J'AI PAS 7 ANS, J'EN AI 8 !

ÇA, JE SAIS ! MAIS POUR LES ENFANTS EN DESSOUS DE 8 ANS, C'EST GRATUIT ! C'EST COMPRIS ?

COMPRIS !

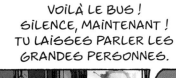

VOILÀ LE BUS ! SILENCE, MAINTENANT ! TU LAISSES PARLER LES GRANDES PERSONNES.

UN TICKET ADULTE, S'IL VOUS PLAÎT, MONSIEUR !

VOICI, MADAME !

ET TOI, MON GRAND, QUEL ÂGE AS-TU ?

J'AI 7 ANS, MONSIEUR !

7 ANS ! ET QUAND AURAS-TU 8 ANS, MON GRAND ?

QUAND JE SERAI DESCENDU DU BUS, MONSIEUR !

Excuse de retardé

PLUS VITE, HUMPF !
PLUS VITE, HUMPF !

OUF, ENFIN !
HUMPF, HUMPF!

MONSIEUR TOTO !

?

QUELLE HISTOIRE ALLEZ-VOUS ENCORE INVENTER CETTE FOIS-CI POUR EXCUSER VOTRE RETARD ?

J'AI RÊVÉ D'UN MATCH DE FOOT, MADAME BLANQUETTE.

RÊVÉ D'UN MATCH ! ET EN QUOI CE MATCH JUSTIFIE-T-IL VOTRE RETARD, MMH ?

HEU, À LA FIN DU MATCH, IL Y AVAIT ÉGALITÉ, ALORS ILS ONT DÛ JOUER LES PROLONGATIONS !

Et pourtant c'est si vrai !

NOUS AVONS RECHERCHÉ LES ADVERBES DANS LE TEXTE. JE VOUS DEMANDE MAINTENANT DE ME DONNER DES PHRASES EN UTILISANT L'ADVERBE "POURTANT" !

QUI VEUT COMMENCER ?

MOI, MADAME ! HIER, J'AI MANGÉ DES BROCOLIS, ET POURTANT CE N'EST PAS BON.

BRAVO ! MOI AUSSI, QUAND J'ÉTAIS PETITE, JE N'AIMAIS PAS LES BROCOLIS. MAIS LES GOÛTS CHANGENT QUAND ON GRANDIT, TU VERRAS !

QUELQU'UN D'AUTRE ?

UN CHAT ATTRAPE LES OISEAUX, ET POURTANT IL NE VOLE PAS.

EN AUTOMNE, LES ARBRES PERDENT LEURS FEUILLES, ET POURTANT ILS NE MEURENT PAS EN HIVER !

JE ME DISPUTE AVEC MON FRÈRE ET POURTANT JE L'AIME BIEN !

ET TOI, TOTO, TU AS CERTAINEMENT TROUVÉ UN EXEMPLE BIEN À TOI ?

LA TERRE EST RONDE ET POURTANT ON SE TAPE DESSUS DANS TOUS LES COINS !

Qui cherche trouve, p'pa

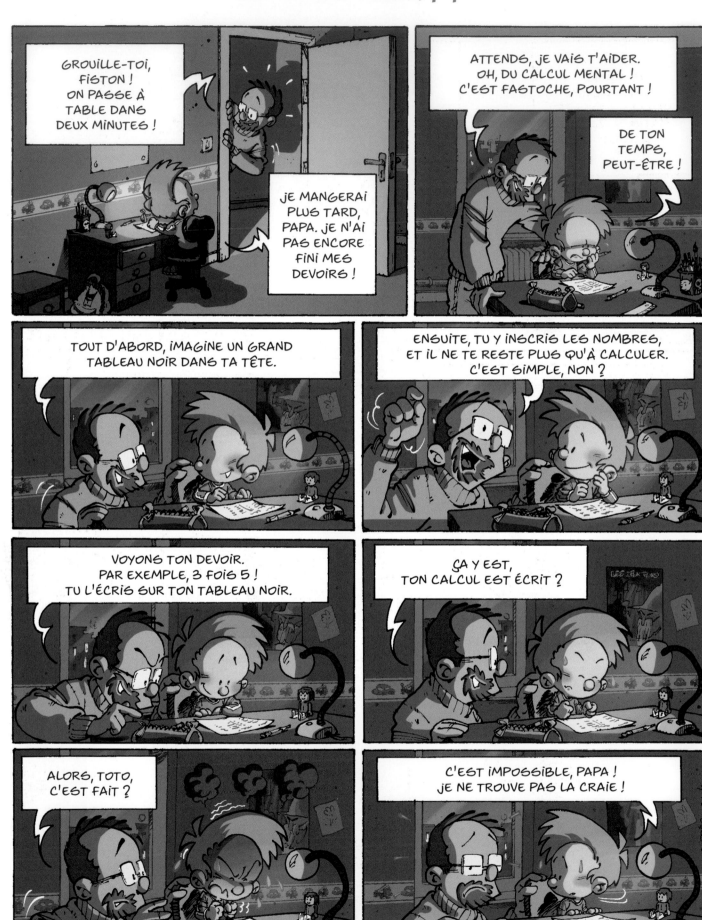

14

Pas fait, pas pris !

Où Ruguay ?

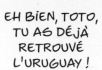

T'es pas un cadeau !

La vérité si j'ai mal

ALORS, MON GRAND, QU'EST-CE QUI SE PASSE ? ON N'EST PAS BIEN, CE MATIN ?

OUVRE BIEN GRAND LA BOUCHE ET FAIS : « HAAAA ».

HAAAA...

BIEN ! BIEN !

RESPIRE PROFONDÉMENT !

DOUCEMENT, DOUCEMENT.

HUHUHUHU

DOCTEUR, N'AYEZ PAS PEUR. DITES-MOI LA VÉRITÉ. JE SERAI COURAGEUX !

?

DITES-MOI QUAND JE DEVRAI RETOURNER À L'ÉCOLE !

Un cousin égale deux

TU AS DIT À MELLE JOLIBOIS POURQUOI TU N'ES PAS VENU HIER ?

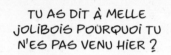

OUI OUI !

TU LUI AS BIEN EXPLIQUÉ QUE NOUS AVIONS RENDU VISITE À TON ONCLE ET TA TANTE DE BÉTHUNE QUI VIENNENT D'AVOIR DEUX BÉBÉS ?

J'AI DIT QU'ILS EN AVAIENT EU SEULEMENT UN !

MAIS ENFIN, C'EST RIDICULE ! POURQUOI NE PAS LUI AVOIR DIT QUE TU AVAIS DEUX NOUVEAUX COUSINS ?

PARCE QUE J'AI GARDÉ LE DEUXIÈME POUR LA SEMAINE PROCHAINE !

Au risque de savoir

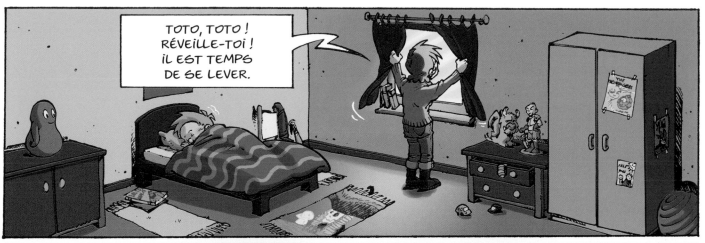

Cyclothérapie

ÉCOUTE, TOTO !
MADEMOISELLE JOLIBOIS
M'A CONSEILLÉ D'ALLER VOIR
UN DOCTEUR AVEC TOI.

UN
DOCTEUR ?
MAIS JE NE
SUIS PAS
MALADE !

JE LE SAIS, TOTO !
MAIS CE DOCTEUR T'AIDERA
À FAIRE MOINS DE BÊTISES...

... ET TON
TRAVAIL
SERA
MEILLEUR.

PLUS TARD...

VOILÀ, C'EST ICI !

PHILIPPE
HERKINETICK

PSYCHOTHÉRAPIE
DE L'ENFANT

JE VOUS AI ÉCOUTÉE,
J'AI DISCUTÉ AVEC VOTRE FILS
ET JE NE VOIS QU'UNE SOLUTION !

ET LAQUELLE,
DOCTEUR ?

ACHETEZ-LUI
UN VÉLO !

UN VÉLO ?
QUELLE IDÉE !
ET VOUS ÊTES SÛR
QU'IL FERA MOINS
DE BÊTISES ?

OH, NON ! MAIS IL IRA
LES FAIRE PLUS LOIN !

?

Faux en écriture

BIEN ! DÈS QUE VOUS ÊTES ASSIS, VOUS ME PRÉPAREZ VOS DEVOIRS.

DÉPÊCHEZ-VOUS, JE COMMENCE À RAMASSER !

MERCI, IGOR !

MERCI, CAROLE !

MERCI, TOTO !

OH !

MONTRE-MOI TON JOURNAL DE CLASSE, S'IL TE PLAÎT !

MMMHHH...

C'EST ÉTRANGE, L'ÉCRITURE DE TON DEVOIR RESSEMBLE FORT À CELLE DE TON PAPA QUAND IL M'ÉCRIT DANS TON JOURNAL DE CLASSE !

OH, ÇA ? C'EST NORMAL, MADAME ! C'EST PARCE QUE J'AI UTILISÉ SON STYLO POUR FAIRE MON DEVOIR !

(SOUPIR)

Le critique d'art

Le bonheur futur simple

AFIN DE VOIR SI VOUS AVEZ BIEN COMPRIS CE QU'EST LE FUTUR, DITES-MOI CE QUE VOUS FEREZ QUAND VOUS AUREZ FINI L'ÉCOLE.

MADAME, MADAME !

MOI, JE SERAI FOOTBALLEUR !

PLUS TARD, MADAME, JE SERAI AVOCATE.

MOI, JE SERAI INFORMATICIEN !

ET MOI, JE VOUDRAIS ÊTRE MAÎTRESSE D'ÉCOLE.

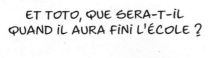

ET TOTO, QUE SERA-T-IL QUAND IL AURA FINI L'ÉCOLE ?

QUAND L'ÉCOLE SERA FINIE, JE SERAI...

... FOU DE JOIE, BIEN SÛR !!

L'expert-comptable

PAPA, TU VAS ÊTRE FIER DE MOI AUJOURD'HUI !

?

ALLEZ, VAS-Y ! ÉTONNE-MOI, FISTON !

TATATATAAMMM, UN BULLETIN AVEC UN DIX !

WOUAW, UN DIX SUR DIX, MAIS C'EST NOËL, MA PAROLE !

DONNE, GAMIN, QUE J'ADMIRE CETTE MERVEILLE !

AARRGGH ! MAIS OÙ AS-TU VU UN DIX LÀ-DEDANS, TOI ?

MAIS ENFIN, PAPA, TU NE SAIS PLUS COMPTER ? 2 EN MATH, 4 EN FRANÇAIS, 3 EN SCIENCES ET 1 EN HISTOIRE ! ÇA FAIT COMBIEN À TON AVIS ?

Vélo si bête

ET VOILÀ QUE BOMOLAY ATTAQUE UNE NOUVELLE FOIS...

... LAISSANT DERRIÈRE LUI LES AUTRES ÉCHAPPÉS !

MAIS DÉJÀ, VÉVITTE CONTRE-ATTAQUE ET LE RATTRAPE.

DOMMAGE, C'ÉTAIT UN BEL EFFORT, MAIS BOMOLAY A, PARAÎT-IL, TRÈS MAL DORMI SUITE À UNE MAUVAISE DIGESTION !

DIS, FABRICE, POURQUOI ILS PÉDALENT TOUS COMME ÇA ?

ILS PÉDALENT TOUS COMME ÇA CAR LE PREMIER VA GAGNER BEAUCOUP D'ARGENT.

HA !

MAIS POURQUOI LES AUTRES PÉDALENT, ALORS ?

SNIF !

Ice-cream de lèse-majesté

PAPA !
JE VEUX UNE GLACE !

JE VEUX
UNE GLACE !
JE VEUX
UNE GLACE !

MAIS QUEL IMPOLI !
JE VOUS JURE !

TOTO ! JE VEUX UNE
GLACE, S'IL TE PLAÎT !

AH BON ! PUISQUE MAMIE
EN VEUT UNE AUSSI,
PRENDS-EN DEUX, ALORS !

Allez, va, cancre